mimi's

prosper
prend régulièrement
un kilo par mois

agathe
est la plus sentimentale
de tous

bosco
ne rêve qu'à embarquer

dimitri

adore les
activités artistiques

les farfeluches
À LA MAISON
EN 462 MOTS

conception et texte d'Alain Grée
illustration de Luis Camps

CADET-RAMA • CASTERMAN

© CASTERMAN 1973 – Droits de traduction et de reproduction réservés pour tous pays. ISBN 2 203 12305 2
E

le jardin

Il fait beau. Toute la famille en profite pour prendre l'air au jardin. Prosper lave la voiture, Rodolphe entretient la pelouse, Patrice enlève les feuilles mortes, Melba nourrit les poules, et Junior donne à boire aux trois lapins. Tiens, il n'y en a que deux dans le clapier... Où donc est passé le troisième?

cheminée

pigeons

tabatière

pignon

persienne

fenêtre

contrevent

linteau

lanterne

hamac

arrosoir

sapin

robinet

fleurs

bêche

haie

porte à claire-voie

poule

seuil

clochette

bac

boîte aux lettres

tuyau d'arrosage

allée

ballon

trottoir

4

antenne de télévision

ardoises

arbres

ruches

lucarne

toit

clapier

châssis

auvent

balai de pelouse

garage

tondeuse

roue

perron

voiture

râteau

lessive

seau

gazon

cuvette

brouette

arbuste

5

la salle de bains

Placide prend son bain. Le téléphone sonne...
Que fait notre étourdi? Il décroche... la
douche! Le dessinateur aussi a été distrait...
Regardez le miroir : n'a-t-il pas quelque
chose de bizarre?

pare-douche

douche

gant de crin

porte-serviette

sèche-cheveux

serviette de bain

mousse

thermomètre

éponge

baignoire

lotion

carpette

peigne

coton

pierre-ponce

le bureau

Rien de tel qu'un bureau tranquille pour lire le journal... à condition que les farfeluches n'aient pas la mauvaise idée de mettre le nez à... la porte! "Papa, nous avons perdu quelque chose; n'as-tu rien vu par ici?" Papa sourit : "Si, et je crois bien que le coupable n'est pas loin de mes pieds!" Qu'en pensez-vous?

porte

plaque de propreté

poignée

interrupteur

prise de courant

lampe

abat-jour

téléphone

agenda

boîte à cigares

briquet

bloc

enveloppe

lunettes

sous-main

lettre

balle de tennis

machine à calculer

machine à écrire

papier

bureau

corbeille à papier

tiroir

chaise

dictionnaires

livres

classeurs

oeufs

coupes

médailles

cahiers

jumelles

dossiers

appareil
de photo

transistor

terre cuite

projecteur

ayons

stylo

journal

feuille
de papïer

clé

pantoufle

fauteuil

cendrier

table basse

coussin

9

verre gradué

pâtes

horloge

soupière

placard

boîtes de conserves

passoire

tomates

tasses

cuillère

fourchette

plan de travail

tabouret

chope

poireaux

panier à provisions

écumoire

verres

théière

sirop

torchon

assiettes creuses

moule

pain

ananas

planche à découper

bananes

table

oranges

coupe à fruits

pomme

10

bocal

hotte aspirante

store

beurre

entonnoir

fait-tout

réfrigérateur

plaques électriques

oeufs

éponge

plumeau

pot

robinet

rôti

évier

poulet

salade

louche

radis

four

pommes de terre

bassine

poêle

assiettes plates

casserole

plateau à fromage

moulin à poivre

cocotte-minute

poids

la cuisine

Quelle bonne idée ont eue ce matin les farfeluches ! "Si nous faisions une surprise à
maman pendant qu'elle est sortie : mettons
de l'ordre dans la cuisine." Et aussitôt,
plumeau, torchon, éponge entrent en action.
Les farfeluches ne s'étaient pas trompés :
à son retour du marché, maman est vrai-
ment surprise !

tire-bouchon

paquet

couvercle

11

une chambre

Aujourd'hui, grand-mère se taille une robe pour la plage. Manches longues, larges poches, grand volant tout en bas. Mais le tissu à fleurs vient à manquer au moment de couper les poches. Agathe et Melba courent chercher leur boîte de peinture, et en cinq minutes la pièce d'étoffe blanche se couvre de fleurs toutes fraîches.

miroir

rideau

photographie

fil électrique

embrasse

commode

grand-mère

mur

abat-jour

rocking-chair

galon

dé à coudre

machine à coudre

tissu

canette

boîte

ciseaux

boutons

mètre

bobines de fil

12

fleurs

tableau

papier peint

rideau

vase

lampe de chevet

réveille-matin

oreiller

traversin

livre

drap

poignée

table de nuit

lit

chat

édredon

aiguilles à tricoter

mules

pelote de laine

châle

descente de lit

pied de lit

corbeille à ouvrage

épingles

pinceau

moquette

décor

boîte de peinture

pièce d'étoffe

tasse

tubes

13

bibliothèque

lampe

haut-parleur

bougie

lampadaire

pot

pot à tabac

livres

maquette

fleurs

pipe

vase

téléviseur

magnétophone

nappe

tourne-disque

fauteuil

porte

tiroir

chaise

chien

disque

bobine

tapis

pochettes
de disque

parquet

coussin

bande magnétique

14

tableau

collection de pipes

étagère

âtre

cheminée

bûches

pincettes

bouteille

olives

plateau

carafe

verres

table

pelote de laine

la salle de séjour

Quand grand-mère ne coud pas dans sa chambre, elle aime venir tricoter au coin du feu. Une aiguille à droite, une aiguille à gauche, une maille à l'endroit, une maille à l'envers. L'ouvrage est déjà bien avancé, mais si le chat fait des siennes, grand-père portera un tricot... en bande magnétique!

canapé

fumée

gravure

cigare

journal

tricot

gâteaux

album

boîte d'allumettes

15

araignée

souris

chapeau de paille

mannequin

ruban

patins
à glace

poussette

poupée

volant

patins à
roulettes

raquette

landau

fleur en
papier

guignol

poutre

plafond
mansardé

lampe-
tempête

ciseaux

tenture

échelle

tambour

fourrure

coffre

16

le grenier

Les jours de pluie passent vite quand on a la chance d'avoir un grenier. Prosper a même trouvé moyen d'installer une balançoire sous le toit mansardé. "Attention de ne pas tomber!" avertit Agathe. "Impossible! je l'ai construite moi-même!" Et pourtant, qui va faire "boum" sur le tambour d'ici trois secondes?

cage à oiseaux

cheminée

cintre

plume

tutu de danseuse

coucou

baguettes

perles

collier

fourchette

dînette

casserole

guitare

château fort

drapeau

piano

partition

ours en peluche

berceau

fer à repasser

livre de cuisine

17

la chambre des garçons

Après son aventure, Prosper s'est endormi. Mais les garçons ont décidé de lui faire une farce; ils se mettent à crier en chœur : "Les voyageurs pour Lyon, Marseille, Nice, en voiture!" Le pauvre Prosper se réveille en sursaut... sous les roues d'une locomotive sortie de ses rails!

haltère

anneaux

trompette

avion

casque

prise de courant

banquette

sifflet

fil

transformateur

signal

pont

char d'assaut

camion

tournevis

tunnel

hélicoptère

gare

butoir

grue

aiguille

rails

wagon-citerne

voiture

maisons

18

ballon de football

ballon de rugby

caravelle

vitrine à papillons

raquette de ping-pong

balle

jeu de fléchettes

microscope

skis

tableau noir

craie

éponge

bilboquet

ancre

raquette de tennis

cordage

pouf

pagaie

balle de tennis

locomotive

gants de boxe

illustré

dés

dictionnaires

oreiller

moquette

dominos

cartes à jouer

coffret

jeu de dames

pions

19

poutres

projecteur

niveau à bulle

carte murale

étagère

lampe

marteau

scie à métaux

pince

clés

maillet

tournevis

flacon

clé à molette

courroie

chambre à air

pipe

mèches

établi

perceuse électrique

tiroir

mètre à ruban

jerrican

écrou

boulon

collier

bougie

ciseau à bois

chien

étau

20

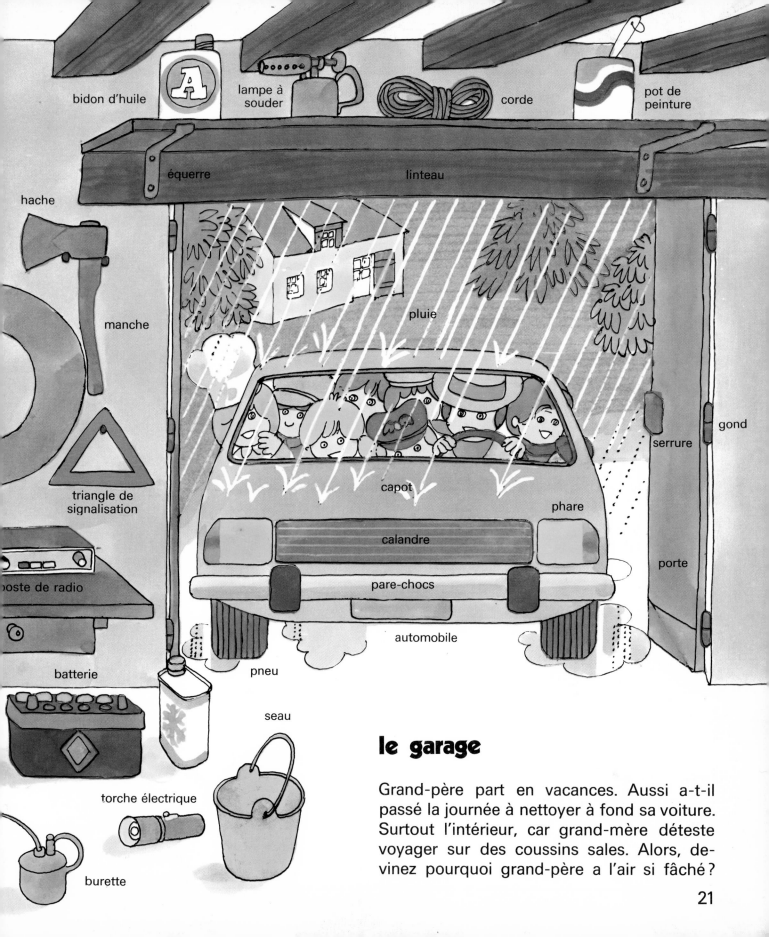

bidon d'huile

lampe à souder

corde

pot de peinture

équerre

linteau

hache

manche

pluie

triangle de signalisation

gond

serrure

capot

phare

poste de radio

calandre

porte

pare-chocs

automobile

batterie

pneu

seau

torche électrique

burette

le garage

Grand-père part en vacances. Aussi a-t-il passé la journée à nettoyer à fond sa voiture. Surtout l'intérieur, car grand-mère déteste voyager sur des coussins sales. Alors, devinez pourquoi grand-père a l'air si fâché ?

melba

est déjà une parfaite ménagère

patrice

combat des indiens
imaginaires

rodolphe

n'est heureux
qu'un marteau à la main

junior

trente cinq kilos de muscles

casimir

espère devenir un jour
aviateur

placide

est plus distrait
que maladroit

Imprimé en Belgique par Casterman, s.a., Tournai.   D. 1973/0053/181.